¡GRUÑÓN!

El café de Trolliver

Adam Stower

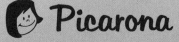 Picarona

Éste es Oliver…

Oliver tiene una hermanita, Dolly.

Ésta NO es Dolly.

Éste es Troll.

Es el mejor amigo de Oliver.

¡Ésta es Dolly!

Oliver y Troll
tenían su propia cafetería en medio del bosque.
Era un lugar poco corriente.
No era una cafetería abierta a todo el mundo.
Era un café para…

Bien, como todo el mundo sabe,
normalmente los trolls comen niños.

Pero ESTOS trolls, no.

Éstos prefieren los pasteles de Oliver, ya que
están mucho más ricos y son más fáciles de atrapar.
(¡Los trolls son una pandilla de vagos!).

Un día, Oliver y Troll cocinaron muchísimas
¡DELICIAS TRIPLES DE TROLL CON MELAZA!

El café estaba abarrotado.

Oliver y Troll estaban tan atareados,

que tardaron bastante tiempo en darse cuenta de que…

¡Dolly había desaparecido!

Oliver y Troll la buscaron
por todo el café,
de arriba abajo.

Pero Dolly se había esfumado.

AQUÍ NO HAY NINGÚN SITIO DONDE HAYA PODIDO ESCONDERSE. VAMOS A ECHAR UN VISTAZO AHÍ FUERA.

Los trolls volvieron exhaustos,
y un viejo y sabio troll gritó:

¡ATENCIÓN! NO SE OS OCURRA IR A LA MONTAÑA DE LOS COMILONES, YA SABÉIS QUIÉN VIVE ALLÍ...

¡JA!

Oliver, después de burlarse
de todas esas tonterías,
se quitó el delantal y se puso las botas.

Había conocido todo tipo de trolls,
pero NINGUNO exageradamente malo.

Y ese tal GRUÑÓN no podía ser tan diferente.

HAREMOS UN PASTEL
Y SE LO LLEVAREMOS,
PODRÁ COMER ALGO MÁS
RICO QUE NOSOTROS
CUANDO LO ENCONTREMOS.

¡VAMOS!
¿QUIÉN SE APUNTA?

De repente, todo el mundo
estaba ocupadísimo.

Así que, finalmente,

sólo Oliver y Troll partieron en busca de Dolly.

Pronto hallarían
el camino correcto.

Troll seguía cauteloso a Oliver,
que iba en cabeza de la expedición.

Dicho eso, Oliver siguió la marcha.

Y Troll le seguía tímidamente…

…pues el rastro de Dolly les estaba conduciendo a ¡LA MONTAÑA DE LOS COMILONES!

Subieron más y más.

Y, ya en la cima…
¿adivinas qué encontraron?

¡A una Dolly sonriente, sana y salva!

Pero, entonces, se dieron cuenta
de que no estaban solos.
De una oscura cueva llegaron
los rugidos de una tripa vacía…

¿Era la del troll MÁS GRANDE,
MALVADO, GRUÑÓN Y VERDE
QUE JAMÁS HA EXISTIDO?

Oliver agarró bien el pastel y dijo:

¡NO NOS COMAS A NOSOTROS, CÓMETE ESTO!

Y una vocecilla frágil contestó:

¡UY, QUE MARAVILLA, QUÉ PLACER, UN PASTEL ES LO QUE MÁS ME GUSTA COMER!

Oliver, Troll y Dolly corrieron tanto como pudieron,
Montaña de los Comilones abajo.
Y no pararon hasta llegar a casa.